서로 사랑이 다르게 시작되는 순간이 있었나
요.

목차

1. 친구에게 대우받지 못한 사랑이었다.

2. 우리는 무엇 때문에 자주 웃으시나요?

3. 금요일까지의 사랑이 있었나요?

4. 힘들었던 순간이 있었나요?

5. 상처가 많은 지금 어떻게 극복해야
   할까요?

6. 상대방에 대한 인간관계 상처

7. 사랑을 희생하려는 노력

8. 사랑이 시작되는 순간

9.언제쯤이면, 우리의 사랑일까요?

10. 인간관계 극복하는 최소한 방법

1번, 친구에게 대우받지 못한 사랑이었다.

자신이 말하지 않아도, 그대가 알아줬으면
좋겠습니다.

서로 친구들이 나를 못 알아 둔다고
생각해도 우린 그래도 하나의 사랑입니다.

저는 그때가 생각이 납니다.
중학교 3학년때 트라우마가 있었습니다.

그땐 친구에게 대우 받지 못해서
그 누구도 나를 싫어해서
책상에서 7교시가 넘도록 울었던
경험이 있습니다.

너무 무섭고, 고통스러웠던
중학교 3학년때의 기억으로
26살의 사랑으로 남아 있는 것 같습니다.

그게 단순한 기분이 아닌
사랑이었습니다.

그 또 다른 사랑을 맞기에는 우린 너무나도

부족하고 엇갈리고, 마음이 어려서
어렵습니다.

서로 되돌릴 수 없는 맘을 먼거리 에도
불구하고, 의도가 아닌 그 사람이
너무나도 또 다른 의미가 사랑이었으면
좋겠습니다.

세상이 불안정하더라도, 많은병들을 통해서
시간이 지남에 따라, 그사랑이
조금 더 흘러 갔으면 좋겠습니다.

그 모든 하루는 너라서,
그 모든 이야기는 너라서,
우린 충분했던 사랑이 있을지도 모릅니다.

많은 순간들 중에서
가장 슬펐던 순간이
저의 기억이었습니다.

저의 기억속에서는

26살 현재의 기억이 아닌
고통스러웠던 16살의
기억이었습니다.

많은 상처가 극복 되긴
어려웠던 기억입니다.

시간이 조금 만 흘러간다면,
우린 하나가 되었으면 좋겠습니다.

사랑이 수고 하셨던 만큼
사랑이 되길 기원합니다.

언제나 그 사랑이 좋은 경험이 되길
학창시절의 좋은 경험 이었으면
좋겠습니다.

2. 우리는 무엇 때문에 자주 웃으시나요?

여러분 행복은 가까이에 있다. 라는 걸
잊지 않았으면 좋겠습니다.

마치 네잎클로버를 찾다가 놓친 순간도
경험이고, 행복입니다.

마치 그대에게 가려는 순간인 것처럼
말이죠?

그 사랑이 그 사람이 참 많이
힘들었다면, 때론 멈춰서서 잠시
쉬어갔으면 좋겠습니다.
그 사랑은 헛된 사랑이 아닌 사랑일지도
모를때니까요.

완성으로 만들어내는 사랑일지도
모를겁니다.

나를 봐주는 사랑이 헌신 사랑이 아니라
멀리서 봐주는 사랑, 멀리서 바라봐 주는
사랑, 지켜주는 사랑이 헌신 같은
작은 사랑일지도 모릅니다.

같은 생각이

같은 마음이

변치 않는 순간일 겁니다.

아주 멀리 그대가 있어도,
한참 뒤에 있어도,
사랑이었을 겁니다.
오늘도 여러분의 마음을 제가 다스리지
못한다 할지라도, 마음이 조금만 멈춰서서
뒤돌아 보는 시간이길 바랍니다.

every day, 라는 매일 같은 마음이 있죠?
매일매일 이 행복한 것처럼
매일매일 이 안 행복할 때가 있죠?

행복하다면, 웃을 때가 많고
행복하지 않으면, 웃을 때가 거의 없고
눈물만 날때가 있죠?

그럴땐 "난 행복한데,
마음이 오늘의 마음이 그칠지 몰라서
마음이 다스리는 일을 감당할 줄 몰라서

그렇습니다.

사람마다, 느끼는 게 달라서,
내 감정이 멈춰 있지 못해서 그렇습니다.

오늘은 괜찮으신가요?
마음이 아팠던 순간이었나요?

상대방이 알아주지 않는다고 할지라도,
생각할 때, 다른사람도
상대방의 마음의 전부를 알아줄순
없습니다.

우린 행복하기 때문에 웃는 것이 아니라
나에게 나의 모습들이 달라지기 위해서
우리는 웃습니다.

우리는 행복하기 때문에 웃는 다고
생각할때가 많기에
그렇죠.

마치 상대방이 많이 웃고, 많이 밝다는

내 모습이 보일지라도, 나는 달라진게
없다고 생각할때가 많죠.

그럴땐 달라진 척을 하는 것일지도
모릅니다.

상대방이 달라진게 없다고 느낄때가
많고, 내면의 모습이 보일때가 있고
내 자신이 많이 달라졌다고
생각할때가 있나요?

서로 그땐 몰라보게
달라진 것일지도 모릅니다.

음악 플레이스트를 열어보면,
슬픈 생각과 슬픈 노래가 보이나요?

그건 듣지 않았으면 좋겠습니다.
왜냐하면, 떠나지 않는 사랑,
결코 바라지 않는 사랑처럼
들릴지도 모를 테니까요.

우울한 상상과,
우울한 도시의 하늘의
모습을 만들어 낼지도 몰라요.

우린 항상, 신나는 음악을
듣고 스트레스와 웃음을
가졌으면 좋겠습니다.

이별이 진심이 담긴
사랑은 슬픈 노래도
괜찮지만

한때는 너무 감점들이
슬프게 들려서
벗어날 수 없을 정도로
많이 힘들지도 모릅니다.

많이 힘들어서, 눈물이 한번에 흐르는

광물처럼 나올지도 모르니까

조심하시길 바래요.
안전하시길 바래요.

한강에서 흘렀던 눈물
바다에서 흘렀던 눈물처럼
못 벗어나 올지도
몰라요.

너무 많이 울지 말고
우리 많이 웃어요.

한 발을 옮겨서
즐거운 버스를 타고
즐거운 노래를 들어봐요.

그러구, 우리 밝은 모습을
통해서 만나요.
그 한사람이
없는 하루가
많이 힘들었을 땐데

우리 조금만
힘내요!

많이 웃으면,
꼭 좋은일 이
좋은 세상이
올거예요.

I cant to
I cant to

힘들어 해도 괜찮지만,
I cant 우린 괜찮아 질때까지만
울어보아요.

울고 우리 한번 더 웃어봐요.

지금이 행복하지 않았다면,
차분히 마음을 갈아 앉혀 보세요.

그런 마음의 한순간도 그상처가
나중에는 덜할때니까요.

나는 날마다 모든 순간이 달라지고
있다고 느낄때가 많죠?

그럴땐 카톡이 안보이는 곳에서
숨겨두세요.

어느순간, 카톡이 많이 와 있어서
다보지 못할정도로 일테니까요.

배움도, 우리의 생존입니다.
배움도, 우리의 사랑입니다.

그 마음이 기쁨의 마음을 통해서
마음을 열때까지의 순간을
기억으로 떠올려보세요.

그 순간이
잊지 못할 정도로
기쁜 순간

일지도 모릅니다.

미안하다는 말도
웃는 의미로
사랑의
이모티콘으로

남겨두세요.
그 이모티콘이
행복으로 찾아올 겁니다.

3. 금요일 까지의 사랑이 있었나요?

오늘은 금요일이었다.
금요일 까지가 아닌
그런 시간이 흘러 버린
이유의 그 시간이었다.

어제처럼, 오늘은 비가 온 것처럼
구름이 덮친 날의 맑은 하늘이었다.

그때가 금요일 의 사랑이었다.
목요일 이 아닌 금요일의
달콤한 일기장처럼
사랑이었다.

굉장히 어려운 사랑이다.
그 사랑은 금요일은
단순한 사랑이 아니기 때문이다.

길거리를 돌아보다가도
그대가 지나면
금요일이다.

금요일이, 지나면,
토요일 이지만,
금요일은 그때 보다 더
큰 사랑으로
불러 오기 때문이다.

벅찬 세상이

사랑이기 때문이다.

바람이 부는 벅찬
생각과 사랑이기
때문이다.

어려웠던 나,
어려웠던 그 상대방의
마음이기 때문이다.

그때가 금요일지도 모른다.

어려웠던 사이,
어려웠던 거리,

가 어느새 여전한 사랑이
금요일일까?

때론 생각을 여전히 하게

되는 금요일일까?

연애의 순간이 닿을때까지
애쓰는 순간이 금요일 일지도
모를겁니다.

내 마음이 어떻게
생각할지 너는 모르지?
내 맘 알아?

라고 하는 순간들이
적당한 사이
적당한 사랑
일지도 모르는
왜?

금요일이지?
생각하게 됩니다.

자신이 없는 사랑도
자신이 있는 사랑도

금요일 일까?
생각할때가 있습니다.

내 진심을 오늘
표현해도 될까?

내 진심을 사랑한다고,
좋아한다고,
너로 인해서
행복했다고
말해도 될까?

라는 순간이 금요일
일까?

왜? 금요일이지?
라는 생각이 듭니다.

일이 끝나고도,
금요일이다.

드디어 행복이다.
너무 좋다.

라고 할때도
드디어 끝났다.
모든일들이
다 끝나버린

금요일이지?

생각할때가 많죠?

그땐 연애의 세상과
사랑이 넘쳐 감수성 풍부한
새벽하늘의 느낌일지도 모릅니다.

가볍게, 나오는 하늘,
가볍게, 나오는 손
을 잡으려는 순간이

금요일입니다.

손이 잡기 힘들땐
금요일이 아닙니다.

잡기 쉬운 날
잡고 싶던 날

이 바로 금요일 일지도
모릅니다.

4. 가장 힘들었던 순간이 있었나요?

학창시절의 기억,
연애의 이별, 사랑
집안 환경 문제,
여러 문제로 많이
힘들었을 것 같습니다.

그럴땐, 누군가를 상처를 대신할 수 있는
사람이 유일한 사람일지도 모릅니다.

그럴땐 사랑이 많이 힘들어서
그런 것 같습니다.

그럴땐 내 마음을 다독여 줬으면
좋겠습니다.

그 사람을 지금도
좋아하고 있다면

그 사람 앞에서는 울지 않으면서도
항상 만나는 그 순간에
상황에 맞게
밝은 모습, 밝은 행동을
잊지 않으면서, 매일 보여준다면,
시간이 흘러가면서
" 이 사람이 참 많이 변했구나,
웃는게 예쁜 사람이구나,
아껴줘야겠다고,

생각할지도 모릅니다.

언젠가는 내 마음을
알아주지 않을 까 싶습니다.

마음은 시간이
많이 필요할테니까요.

그럴땐, 밥을 잘 챙겨드셨으면
좋겠어요.

이별 문제든, 사랑의 고민이든,
아파해야 할 문제라도,

밥을 꼬박꼬박 잘 챙겨 드셨으면
좋겠습니다.

건강이 제일 중요할지도 모르니까요.

부모님이 안 좋은 영향으로 힘들게
한적이 있나요?

그럴 땐 그 말을 듣고
내면의 나의 소리를
들었으면
좋겠습니다.

내면의 나의 소리는
나의 감정을 소화시키는
능력이 있을 때니까요.

간절히 알길
원하는 사랑도
기도 앞에 나아가길
원하고, 바랍니다.

기도 앞에 나아가는 순간이
원했던 사랑도, 모든 문제가
해결될지도 모를 겁니다.
인생과 실패의 경괴 하는 것이
아니라,

간절한 큰 성공이 아닌
간절한 큰 열정으로
만든 성공의
꿈이 되길 바래요.

그게 바로, 큰 열정의

당신의 여러분의
사랑일 겁니다.

그리고, 무도한
꿈일지도 모르지만
큰 꿈이 이뤄지는 순간일지도
모를테니까요.

알면서, 모르는 사랑도,
소용이 없다 해도,
사랑입니다.
우리가 해야 할 일도
최선을 언제나
다하는 것입니다.

그 성공을 이루기 힘들었을 만큼
여러분의 상처가 온전히
기도 앞에 나아가길
원하고 바랍니다.

그 사랑은
부지런한 사랑일지도

모릅니다.

내가 열심히 했던
사랑일 테니까요.

내가 열심히, 나아갔던
사랑일 테니까요.

저도 , 작은 사랑을
여러분에게 전하고 싶은 사람이
되기 어려웠을 만큼

지금은 너무 나도
만족한 사랑이 되어버린
26살 소녀입니다.

여러분도, 나중엔
더 큰 힘들었던 마음들이
사랑으로 더 채워가는
사람이 되길

기원합니다.

5. 상처가 많았던 지금 어떻게
극복해야 할까요?

오늘은 안녕하신가요?
상처가 극복되려면
많은 시간이 걸리는 한 여름
일지도 모릅니다.

여름은 시간이 많이 걸리는
것처럼 말이죠.

여름이 한꺼번에 다 지나가려면
어려운 순간들이 다 떠오를 때 까지
의 생각이 다 채워지는 순간이

여름의 한 순간인 것처럼 말이죠.

상처는, 지금 아물때까지
정신이 아물 때 까지
애쓰고 또 반복해야
사랑의 상처가 극복될때가 있습니다.

사랑은 여전히, 하염없이
고르고, 달도 말고,
사랑이 지나가는 것처럼 말이죠.

어설픈 사랑이
지나가려면,

우리가 힘들었던 순간이
다 잊혀지는 순간일 수도 있습니다.

나중에 다시 만나자,
우리 다시 예쁘게 만나자,

라는 연애처럼 말이죠.

그 말이, 멀어지는 순간이 아니라
우리가 예쁘게 만나는 순간을
노력하고 있을지도 모릅니다.
그 예쁜 순간을 잊지 말구,
한걸음씩, 우리 더 나아가보자,
라는 생각을 많이 하셨으면 좋겠습니다.

한 발걸음이, 우린 때론
상처를 극복하게 만들지도
모릅니다.

상처의 아픔들이, 벗어나지 못해서
병원이나 진료실을 찾는 분들이
많으실 수도 있습니다.

그게 좋은 경험의 상처가
되었으면 좋겠습니다.

좋은 경험이 아니지만,
상처를 좋은 상처의 경험이라고
생각하다보면 어느새
자연스럽게, 나중엔

상처가 우리에겐 멋진 경험이
될 거라고 생각할만큼
극복되었으면 좋겠습니다.

6. 상대방의 대한 인간관계의 상처

교회 공동체 속에서도 제일 생각 나는
사람이 있다면,
교회가 아니라 하나님이 예비하시고
준비하시기 까지 힘드셨던
사람일수도 있습니다.

그 사랑이 언제 돌아올지 모르지만
하나님이, 앞으로도 그 사랑을
준비하고 계십니다.

우리 친구처럼, 그 상처를 치료하듯이
반갑게 다가가서 인사 나눕시다.

시간이 걸리더라도, 주님은 하나님이
주신 이전에 사람과 상처를 치료
할수 있도록 준비하고 계실지도 모릅니다.

월, 화, 수, 목, 금, 평일이 다지나고,
우리 주님 앞에 예배하러
교회가서, 진지하게 말씀들으러
가보셨으면 좋겠습니다.

처음 누군가를 다른사람을 사랑한
사람처럼 만나기전에
대한 것처럼
다가가서 말 한마디를 걸어
보았으면 좋겠습니다.

말 한마디가 상처를 만들어 내듯이
소중했으면 좋겠습니다.

누군가를 좋아한다는 말이 아니라,
안녕? 오랜만이네, 잘지냈어?
라고 전달해 보셨으면 좋겠습니다.

그 작은 인사가 한마디가,
그 한사람을 이끌어 주실줄
믿습니다.

사랑을 받지 못한 자가 있다면,
너를 내 마음을 보소서,
너를 내 마음을 주소서,

"나는 너를 사랑하리라
라는 생각을 가졌으면 좋겠습니다.

"네가 나를 사랑스럽게 너는 그대로
멈춰 서 있었으면 좋겠습니다.

사람이 참
어려울 때가 많습니다.

이롭지 않은 순간들이
있는 것처럼 말이죠.

사람을 미워해도 괜찮고,
사랑함을 미워해도 괜찮습니다.

편안함을 보고 애기해도
괜찮습니다.

나의 괴로움도,
나를 돌보시는 유일한
사람이 있을지도
모르니까요.

내 남자, 내 편이
되주는 사람이
언젠간 있을테니까요,

이전에 주셨던 예비하셨던
그분이 내 편이 되준 유일한
분이라면?

시간이 많이 걸리더라도
천천히 다가갔으면 좋겠습니다.
우리의 사랑으로 이끌기까지
어려움을 대처해 나갈수 있는
사람이 되길 기원합니다.

우리는 사랑이
흔들리지 않습니다.

사랑이 흔들릴 때는
아주 많이 사람이 신경이
많이 쓰일 때입니다.

사랑이 너무 많이
흔들려서, 보살필 사랑 조차
어려웠던, 사랑일지도 모릅니다.

사랑이 힘들때는,
근처의 사랑,
또다른 사랑을
만들어 내고 있을지도 모릅니다.

그 상처를 대신하기엔
나 혼자서는 부족합니다.

상대방이 어쩔줄 몰랐던

상처를 대신 이야기를 해봐도
괜찮습니다.

우린 그런말 해도
괜찮습니다.

아프다고, 힘들면, 힘들다고,
상대방이 알아주지 않는다 해도
말해보면, 서서히 마음의 병이
나아질테니까요.

규칙적인 운동과 식사,
마음속의 대화, 마음속의 이야기를
해보는 것도 좋습니다.

마음속의 대화가,
온전히, 점점 더 나아지는 속도에
편안해지는 힘을 느낄수 있습니다.

7. 사랑을 희생하려는 노력

선한영향력이 있을때가

우린 때론 있죠?

그럴땐, 누구에게 마음을
희생하려는 마음이
있어서 그럴지도 모릅니다.

어떤사람을 마음을 가장 먼저 알고,
희생하려는 마음,
누구에게 마음을 헤아려주는 사람이
" 내가 먼저, 였으면
좋겠다는 생각이 있을테니까요.

그럴땐, 세상의 일하심이
바로, 저를 더 알게 한
사람일지도 모릅니다.

마치, 누군가 내가 헤어져서
그런 마음들을 상처를 줘서

그 상처를 대신하고
싶다는 사람이 되고
싶은 생각이 들었고,

반지를 신청했는데,
사람을 희생하는 의미,
사랑을 희생하는 의미,
의 반지가 내 자신을 알아줬으면
좋겠다. 라는 생각이 들때가 있습니다.

그럴땐, 나를 희생하려는
조금의 마음 일지도
모릅니다.

그게 조금 만한
노력일지도 모릅니다.

그 노력이
어느새 빛나길
기원합니다.

너에게, 마치 행복을
치료하는 멋진 사람이
되는 것처럼 말이죠.

내일을 기도하면서,
달려오고,

오늘을 향해서 기도하면서,
달려오고,

있는 향한 마음가짐
또는 내일이 아프지 않았으면 하는
마음들이 누군가의 상처를
헤아려주는 사람이
나 였으면
좋겠다.

라는 마음일지도 모릅니다.

그 작은 마음의 희생들이
앞으로의 많은 병처럼
느껴질지라도,

작은 사랑이었으면 좋겠습니다.

하나의 목걸이가 기부가 되는 것처럼

하나의 희생이 되길 기원합니다.

사랑하면, 보내주기 힘들다고 하죠?

그럴땐 수도 없이, 사랑을
가지기가 힘들어서 그렇습니다.

그럴땐,
어제처럼 우리 수많은 이별이
많이 아팠던 하루였던 것처럼

성숙한 연애 였다고,
생각했으면 좋겠습니다.

"널 웃으면, 보내준다고,
" 널 안으면서, 보내준다고,

하는 오늘의 하루가 되길 기원합니다.

이별이라는 순간들이
상처들이
우린 간직할수 있는
좋은 추억의
연애의 순간
상처들이

되었으면 좋겠습니다.

언젠간, 다시 돌아올 사랑이면,
돌아올수 있도록,

노력하는 사랑이었으면 좋겠습니다.

쏟아지는 마음을

어떻게 표현 할 수 있을까?

라는 노래가 있죠?

답답해도, 답답한 사랑이라도
쏟아지는 내 마음을
표현하기 어려운 심정처럼
느껴지기 마련입니다.

그 상처가 답답할 정도라도,
내 마음의 상처가,
극복되는 시기는,

우리가 살면서, 가장 어려움을
느껴봤을 때입니다.

어려움이 끝날 때 쯤
친구와 밥먹고 마치
집에 갈때쯤 알게되는 것처럼 말이죠.
그땐, 우린 살아갈 이유
일지도 모릅니다.

그게, 살아야 할 사랑
그게, 살아가야 하는 사랑
일지도 모릅니다.

새로운 응원과
축복의 마음들처럼

말이죠.

앞으로는, 버린 상처가,
특별한 하루라는
사실을

잊지 않으셨으면
좋겠습니다.

8. 사랑이 시작되는 순간

사랑이 늦었던 순간이 있었나요?

그사랑은 다시 한가지의 사랑으로
다시 시작 될 겁니다.

다시 사랑이 올겁니다.

사랑이 너무 늦어서 미안하다고,
올겁니다.

기다리면 올겁니다.
너에겐, 그만큼 힘들었던, 상처였으니,
이젠 좋은 사람이 되어 줄겁니다.

서로를 잠시 이해해 줄려고 할겁니다.
다시 돌아올 사랑입니다.

잠시 멀어져 있던 마음들이 이젠 좀더
사랑이 다시 올겁니다.

이해하기 힘들었던, 순간이
이젠 스쳐 지나갈 겁니다.

그러니 오늘도 하늘을 향해 스쳐가는

사람이길 영원합니다.

담담히 걸어가는 사랑일지도
모릅니다.

비록 연약해도, 우린 사랑을
살며시 걸어나가는 사랑이
시작되는 순간입니다.

오늘도, 좋은 하루 보내세요.
맑음의 경은이었습니다.

감정적인 연애,
감수성이 풍부한 연애,

서로를 잠시만 이해하려는
사랑이 시작되는 순간입니다.

서로를 사랑하기 때문에,
우린 잠시 멀어져 있을 뿐입니다.

가까워져 있을수록
우리의 마음이 어느 순간
도착했을땐,

사랑이 다시 시작되는 순간입니다.

마음이 변치않는 마음으로
사랑으로 가려는 순간이

사랑이 다시 시작되는 순간입니다.

슬픔이 건조되는 날씨,
슬픔을 만들더라도,

기분이 좋은 하루를 만들어 가는 날이
있다면,

바로, 사랑이 어설프게 끝나는
것이 아니라,

사랑이, 바로 시작되는 순간이었을 겁니다.

상처의 슬픔이 고려되지 못할때가
많죠?

무더운 날씨가, 건강한 하루를
만들려고, 노력할 때,

바로, 사랑이 시작되고 있을지도 모릅니다.

마음이 치료되지 못할 때는,
상처를 받는 사람이 잘못 된게 아니라,
상처를 주는 사람이 잘못 된 것입니다.

상처를 줬으면, 그만큼, 우리의 날씨 만큼
줬으면, 나에게 나한테, 적극적으로
손을 내밀면서, 다가와 주는 하루였으면
좋겠습니다.

손을 내미는 것 조차, 우리에게
하나의 발걸음이라고 생각합니다.

만일, 그만큼, 헤어졌다. 할지라도,

우린 멀어지는 것이 아니라,
잠시 마음을 정리하기 위해서,
잠깐 헤어지는 것이라고
말해 줬으면 좋겠습니다.

9. 언제쯤이면, 우리의 사랑일까요?

가끔 사람들이 참 이상하다고,
느낄 때가 많죠?

그럴땐, 내 자신이 참 이상하다 싶은게
아니라,
내 자신이 알다가도, 모를정도로
좋은 사람이라서 그렇습니다.

내 자신이 너무 괜찮은 사람이라서,
그렇게 보이는 사람이라서
그럴지도 모릅니다.

사람들이 이상하다고 느낄 땐

내 자신이 너무 충족하지 못할정도로
좋은 사람이라서 그렇습니다.

그런사람, 그냥 그런 이유의 사람이라고
다른 사람은 생각할지 몰라도
우린 너무나도, 좋은 사람 이니까
그 순간의 사람이라는 걸
잊지 않으셨으면 좋겠습니다.

오늘도, 알지 도 모른다는 사람
처럼 누군가와 가까워지는 사랑일지도
모릅니다.

여전히 힘든 마음들을 다독여 줄 수 없는
남자들의 마음, 또는, 내 마음들이
있었을텐데요.

잘지내라는 말들이,
나중에 보자.

라는 말들이 왜 이렇게
가슴이 아플때가 많을까요?

사랑을 하지 않는 것이 그땐
답일지도 모릅니다.
언젠간, 좋아하는 사람이
우리 다시만나자, 나에게 다가와
말해줄 수 있길 바랍니다.

그런 순간이 영원히
있길 바랍니다.

항상 같은 곳에서
멈추지 않는 모습들이 있습니다.

일기장에 빼속히 채워진 일기처럼
흔들린 너의 손길이
걸음마다, 모든 사랑이
너로 비춰졌으면 좋겠습니다.

너로 세상이 아름답길 바래
마치 아름다웠던 일기가

너에게 닿을 수만 있나면,

사랑이 눈부셨던 계절처럼
내 앞을 가로 막았던 사랑이
창문 밑으로 다가와 주는 사랑이

바로 우리의 사랑입니다.

그럴땐 사람을 있는 그대로 봐주고,
사람을 있는 그대로,
있어주고 잊혀가는게
사랑 이지 않을까 싶습니다.

사랑은 언제나 반갑지 않습니다.
그렇지만, 그 미소로 받아 드린다면,
사랑은 지나서, 언젠간 반갑게
웃으면서 애기할 수 있길 바랍니다.

떠나간 사랑도 다 지나고
이젠 떠나간 사랑이라도,
새롭게 시작하길 원하십니다.

그게 바로, 사랑입니다.

노을이 지는 사랑처럼
항상 사랑이 영원할 수 없지만,

우리의 마음에는 사랑일 것입니다.

많이 힘들 때, 우린 다 힘든순간이
있습니다.

그것을 조금만 지나면, 우린 행복하게
되어 있습니다.

그 순간을 잊지 말고, 오늘을 위해서
살아갔으면 좋겠습니다.

마치 서툴렀던 사랑인 것처럼 말이죠?
당신에게, 오늘은 "처음처럼, 말이죠.

매일이 어렵고, 괴롭고 힘든 당신,
세상에 당신보다 중요한 건 없습니다.
오늘처럼, 처음처럼, 당신의 지금
나를 중심에 살고 있는

살아있는 사랑일지도
모를테니까요.

언제 쯤이면 사랑일까?
떠오를때가 많죠?

그럴땐, 잠시, 쉬어가고
싶은 사랑,

또는 가까워진 하염없이
버린 사랑일때가 많습니다.

너의 번호를 늘 생각하고,
우린 우연이 바로
바라봤을 겁니다.

그 우연이 짧은 시간이 아니었으면
좋겠습니다.

그동안, 정말 고마웠어.
그동안, 정말 고맙고 사랑했다.

고 말할수 있는게
사랑일지도 모릅니다.

그런 너를
그런 너를

다시 사랑으로 만든
한 겨울의 계절이

사랑이 만든 계절이었을지도 모릅니다.

원래 좋아하면,
원래 사랑하면,

우리 하나만 약속하나 하자.
그게 바로,
우린 짧은 사랑이 아닌
소각소각한
작은 사랑이었다고.
이젠

말해줬으면 좋겠어.

나 너에게,
특별한 사람이었다고,
언젠간, 나중에라도
말해줬으면 좋겠어.

그런 사랑이 7월, 8월 인 사랑일지도
모릅니다.

먼저 다가와준 사랑입니다.
먼저 다가와준 작은 사랑입니다.

설렜던 사랑,
설렜던 작은 사랑이,
바로, 9월, 10월 11월 12월
의 사랑 일지도 모릅니다.

알았던 궁금했던 사랑,
알았던, 너의 느꼈던 사랑

일지도 모릅니다.

오늘 같이
안아줄래요?

오늘 같이
나를 사랑해줄래요?

라는 사랑이,
바로, 거침없이 다가온 사랑입니다.

눈을 뜨면,
니가 생각이 나고,

눈을 감으면,
너의 감정이 떠오를때가 많죠?

그럴땐, 사랑이,
감정 속도가 서로가 달라서,
서로 많이 달라서

그렇습니다.

봤는데, 헤어지면,
그냥 지나가는 순간처럼 말이죠.

그냥 지나가면,
그 사람이 있었던 것 같은데,
그런 순간인 것처럼 말이죠.

10. 인간관계 극복하는 최소한 방법은?

인간관계가 안좋을때, 건강이 안좋을 때가 많죠?
오래동안, 건강이 좋았던 사람이 건강하지 않은 것 처럼
어설픈 이야기에 머무르고 있죠?

건강은 , 아침 식사를 거르지 말구, 물 잘챙겨 마시고
유산균, 식이섬유 꼭 잘 챙겨 먹었으면 좋겠습니다.

인스턴트, 음식, 차가운 음식은 퇴토록 이면 드시지
말구, 우리 건강을 챙기십니다.

건강은, 화를 억누르지 않아야,

극복할수 있습니다.

저두, 건강했던 사람이 었지만,

그렇지 못한 탓에 오늘이 되어버렸지만

앞으로는 건강을 챙기도록 노력 하고 있습니다.

인간관계도, 중요하지만,

건강이 때로 중요해야,

건강이 채워져야,

나중에, 인간관계를 극복할수 있습니다.

인간관계는, 사람을 먼저 알고

사람을 먼저 사랑하는 것이 아니라

사람을 다루는 것이 아니라,

사랑이라는 작은 타이어에

어찔줄 몰라하고,

무엇이 필요한지,

먼저 대할줄 아는 것이

이가 관계입니다.

사랑이, 그칠지 모른다고

사랑을 무지 막지 하게

표현하는 것이 아니라

진심이 담긴 사랑,

이가 관계, 또다른 마음가짐으로

내 자신감으로 나아가는 것이

이가 관계입니다.

이가 관계는

너그럽게, 잘못을 인정하고,

너그럽게, 바라봐주는 것이

사랑입니다.

내가 잘못하게 아니라도

사과 하고,

내가 잘못하게 맞다할지라도,

미안하다고 말하는 게

사랑입니다.

마음 놓고, 아픈 얘기를

하다보면, 수도 없이

끝날때가 많죠?

그럴때, 잠시 숨을 쉬고

천천히 말해봐요.

나에대한 태도,

나에 대한 마음가짐이

있을테데요,

그 사람이 했던 말들을

귀담아 듣지 않을 때?

그럴 때 인간관계가 힘들때가 많습니다.

그럴때, 그냥 듣고 흘려 버리는 게 아니라,

잘 들어주고, 이해해주면서,

그런 사람이 있으니, 내가 행복할지도

모른다는 생각을 가질수 있는

사람이 되길 기원합니다.

인간관계에도, 온도가 있습니다.

같은 자리는 아니지만,

어느곳에서, 도서관이나

카페에서 충분히 쉬고 있을 때

우린 같은 온도, 같은 생각도

그사람이 그 한사람이

하고 있을지도 모릅니다.

우린 같은 온도가 그 순간의 마음이기

때문이 아닌가 싶습니다.

그는 떠났던 사랑이었지만,

우린 걷잡을 수 없는게 인간관계 었던 것처럼
온도의 느낌은 같습니다.

사람이 무엇이기에,
사람의 존재를
마음속에서
돌볼줄 알아야 하는 것이

인간관계입니다.

조금이라도, 그 한사람을
존중하면서,
생각하는
나의 자신이 되길
바랍니다.

모든 인간관계의 사랑이
초족하지 못할때가 많죠?

그럴땐 지우고 싶은 기억이

많아서 그렇습니다.

지우고 싶은 이유가,

너무 많아서 그렇습니다.

어떤사람을 지우려고 노력하기

때문입니다.

지우고 싶은 기억이

좋은 상처를 통해서

좋은 경험이 되었으면

좋겠습니다.

말하지 못한 고민이 많아서

인간관계를 적응하기 힘들때가

많죠?

그럴땐 상대방에게 말하지 못한

고민들이 많아서 그렇습니다.

이젠 말을 꺼내기 조차,

무서워서 그렇습니다.

내가 그대를 많이 좋아했고,

깊은 마음처럼, 좋은사람이라고,

생각을 많이 해서 그렇습니다.

그래두 상대방이, 나에게 존중하면서,

받아 드릴수 있는 사람이었으면,

좋겠습니다.

그 마음을 알기 어려웠지만,

그대의 작은 도시로 가는 방향처럼,

그대가 나를 통해서,

이해하기 시간이

많이 걸리겠지만,

내 마음을 언젠가,

알아준다는 걸

잊지 않았으면 좋겠습니다.

나는 그럴 수밖에 없는 인간관계의

잘못이었다고,

나는 그럴 수밖에 없었다고,

진심으로 말할 수 있는

인간관계가 되길 바랍니다.

심정과 마음을 상대방이

작은 사랑을 통해서

알아주길 바랍니다.

사람을 통해서,

인연을 허락하셨을지도 모릅니다.

언제나, 내 잘못을

진심을 전하는 사람이

되길 바랍니다.

힘들어 보이지 못한 사람일때가 많죠?

낯선사람이라서, 알수 없는 느낌이라서,

알수 없는 내 마음의 인간관계이기

때문이 아닌가 싶습니다.

마음의 상처가 많아서,

사랑을 얻지 못해서 그렇습니다.

도전하는 시험마다, 그곳에서

떨어져서 인간관계가 남에게

무시 당할때가 많죠?

그럴땐, 불안해 하지 않았으면 좋겠습니다.

불안없는 세상,

불안없는 마음들이

어느새,

거칠었던 마음들이

불안이 없어진다면,

좋은 생각으로 가득찰 겁니다.

우리 불안해도 괜찮지만,
불안 하지 않아도 괜찮습니다.

힘들어도, 우리 불안해 하지 말아요.

상처가 많은 지금

인간관계의
세상에는

모든 세상은 인간관계의 죄가
많습니다.

모든 죄를 통해서
인간관계가 만들어집니다.

그 죄를 치료하기 위해서는
이 세상을 통해서,
하나님을 인도하는 사람이 되는 것도
좋습니다.

수많은 과정 앞에서도,
사랑이 올지도 모르니까요.

수많은 생각 앞에서도,
사랑이 올지도 모르니까요.

성격이 너무 소심해서,

인간관계가 힘들때가 많죠?

성격이 소심해서 맞지만,

내성적인 마음들이

상대방이 볼때,

너무 많아서 그렇습니다.

그럴땐, 내성적인 마음을 들어내도

괜찮습니다.

그 마음이 절실했던 순간을

보여주는 것 같아서

상대방이 기뻐 할지도 모릅니다.

사람들이 옳은 이야기를
한다고 해서
자신도 옳은 이야기를
해야 되나요?

옳은 이야기는, 상대방을
만족시키지 못합니다.

마음이 와 닿는 순간,
마음을 가다 듬고

이야기를 할줄 알아야 합니다.

평소 나를 좋아해주고

했던 사람이

나를 떠났다고 해도,

다시 떠나버린

사랑일지라도,

아픔을 함께 나눴던
사람일지도 모릅니다.

앞으로 함께할 사랑일지도
모릅니다.

시간은 걸리더라도
마음만큼은 잘 모릅니다.

좋은 사람이든,
안 좋은 사람이든,

나에게 세상의 도움을 줄수도 있고,
나에게, 절실한 도움을 가르쳐 줄 수 있는
사랑일지도 모릅니다.

고백을 받을 때,

거절해야되나,

받아야 되나

할때가 많죠?

그럴땐 깊이깊이 생각해보면

좋습니다.

이 사람이, 나에게

누가 제일 필요했던 사람이었고,

좋은 기억을 가르쳐 준 사람이

누구였는지?

깊이 깊이 생각해보는 게 좋습니다.

그래야 나중에, 누군가를

당신은 결정할 수 있습니다.

당신의 기억 속에서

당신은 결정할 수 있습니다.

다른 순간,

좋았던 순간,

을 떠올려 보세요.

그 좋았던 순간이

그 한사람과

함께 했던

사랑일지도 모릅니다.

떠나야 하는 사랑이라면,

붙잡지 말았으면 좋겠습니다.

나의 자존심이 있으면,

붙잡지 않는게 좋습니다.

그게 나의 자존심입니다.

남들이 비교하는 사랑일지라도,

남들이 비교하는 마음일지라도,

사회적 비교랑은 다릅니다.

어설픈 관계의 사랑이기 때문입니다.

그 사랑이,

바로 직한

어설펐던

작은 사랑이었으면

남들이 비교해도, 거칠게,

받아드릴줄 알아야 합니다.

남들이 비교해도 괜찮습니다.

비교해도, 남들이 뭐라고,

그 남들이 뭐라고,
그렇습니까?

그 남들은, 사랑을 받는 것 조차
모를지도 모릅니다.

상대를 바라보려면,
상대방을 서로 다른 사랑이라고
인정할수 있어야 합니다.

서로 다른 사랑이기 때문에
그렇습니다.

너무 멀리있어도,
내편을 들어주는 사람이
인간관계의 유일한
사람입니다.

인간관계의 사람들이

받는 사랑을

받지도 못해서

작은 사랑을

벗어나지도 못합니다.

제대로된 사랑을

받으려면,

진심이, 전해진,

예쁜 말이 가득한

사람이

진정한 사랑일지도

모릅니다.

그게 사랑일지도

모릅니다.

힘들면, 내편이 되는 사람에게

한번 때려도 괜찮습니다.

가치없는 사랑이라서 그렇습니다.

상대방을 한번 때려줘도 괜찮습니다.

상대방이 미워서 그런게 아니라서

너무 많이 사랑해서

그렇기 때문입니다.

그 사랑인지

알겁니다.

그래서, 내가 좋아하는 사람이

때리는 것일지도

모른다는 생각이

들어서

미안하다고, 생각할 겁니다.

정말, 그때 내가 미안했다고, 그럴겁니다.

나를 오해하는 사람들이

많아서,

힘들때가 많죠?

내 자신이 부족하다고 생각해서 그렇습니다.

자존감이 너무 낮아서 그렇습니다.

나의 거울로 보는 태도 말고,

마음속에서 깊이 다루는

태도가 필요합니다.

체중계에 올라가는 태도 보다,

몸과 마음을 다루는

태도가 깊이 필요하기

때문입니다.

용서를 구하는 것도 중요하지만
내 자신이 변해가는
과정이 더 중요합니다.

내 자신이 밝은 모습
밝고 긍정적인 모습이
필요하기 때문입니다.

그게 나의 진실된
태도 이기 때문입니다.

"밝고 환하게 웃으면서,

상대방을 대하자,

" 긍정적인

모습을 잊지 말자,

라는 생각을 잊지 않으셨으면 좋겠습니다.

상대를 보고,

거짓말을 하지말고,

진실한, 거짓말을

하는 게 좋습니다.

헛된 거짓말보단,

나을 테니까요.

그게 바로,

진실된 진실한

"나는, 이젠 울지 않는다, 시간이 흘러버린 계절인지, 뭐가 그렇게 아팠는지,

잘모르겠다. 그땐, 아무도 내 이야기를 들어줘도, 다들 나를 떠나 버릴까봐

무서웠다. 24살에 연애하면서, 좋은 사람을 만나서 행복했는데,

26살에 이별이라는 걸 겪은 나는 이렇게, 아픈 순간이었는지,

내가 그때 연애를 왜 안하고 싶었는지, 이젠 알꺼 같았다.

지금은, 성숙하고, 좋은 사람이 되어가고 있다.

지금은, 누군가와 통화하기 두려워 했던 나는,

지금, 통화하는 것도, 사람을 대하는 법을

몰랐던 나는, 매일매일 연습하고 있다.

누군가를 위해서가 아닌, 나를 위해서, 달려가면서,

연습하고 있다. 매일 매일 연습하고 나를 멋진 모습으로

마주보면서 너를 만나려고 애쓰고 있다.

그리고, 매일매일 나를 소중히 여기면서, 예뻐지려고

노력하고 있다.

26살 지금 행복하다고 말할순 없지만, 그래두, 난 행복하다.

이런 제 이야기 들어주셔서 감사합니다.
여러분도, 제 이야기를 듣고, 공감해주셨으면 좋겠고,
여러분도, 하나같이 성장했으면 좋겠습니다.

자꾸 실망하게 되는 것보다,

자꾸 기대를 하게 만드는 사람이

있을 겁니다.

그게, 유일한, 기대의 사람일지도

모르니

지금이라도

붙잡아도 괜찮습니다.

우린 안 늦었습니다.

늦지 않았으니 되 찾는 사랑이길

바랍니다.

당신을 싫어하는 것보다,

상대방의 존중과 생각,

존중과 이해심을

가졌으면 좋겠습니다.

나는 어떤사람 이었을까?

내 마음을 높이는 것이 중요할 때 일지도 모릅니다.

내 적으로부터, 나를 점점 회복시키는 능력이
바로 지금 필요할지도 모릅니다.

내성적이었던 내가,밝아지는 순간은
어마어마한 발전 일겁니다.

나를 점점 성장시키는 마법일 겁니다.

상대방에게 위로 받았던 적이 있었나요?
그때, 내 자신이, 온전히 위로 할수 있는 사람이기
때문에 그렇습니다.

상대방의 기분과 마음을 느낄수 있는
사람이라서 그렇습니다.

그 한사람이 느끼기엔

그의 사랑을 받을 수 있는 사람이라서

그렇습니다.

타인이 느끼기엔 듣고 싶었던 말이

있었을 겁니다.

타인이 듣고 싶었던 말만

했던 경우도 있을 겁니다.

그치만, 내가 좋아서 했던 말일수도 있습니다.

내가 좋은 충고보단,

내가 좋아서 좋은 충고를 해줬을지도

모릅니다.

내가 점점 내 자신이 좋다고 느낄때,

칭찬도, 충고도, 기분이 좋았을 겁니다.

내가 느끼기엔 그랬을 확률이 100%

였을 때니까요.

끊임없는 노력이 나에게도

있다는 걸 알게 되기 전까지

말이죠.

다른 사람이 볼 때 자존감이 대체적으로 낮을때는

언제였을 까요?

1. 내가 자신이 만만하다고, 신경쓰일 때?

2. 자신이 위로 받은 경험이 없었을 때?

3. 위로를 느껴 본적이 없었을 때?

4. 내가 하는 말이 다 옳다고 느낄 때?

5. 자신이 외모가 충만하다고 느낄 때?

6. 우울과, 불안이 조금 느리다고 생각할 때?

7. 진정으로 사랑받지 못한다고 인간관계에서
느꼈을 때?

8. 자신을 사랑하지 못한다고 느낄 때?

9. 내 기억속에 계속 생각이 머무르고 있을 때?

10. 누군가에게 소중한 말을 해본적이 없다고 느낄 때?

느꼈을지도 모릅니다. 저의 개인적인 생각이니,
참고만 부탁드립니다.

한 사람의 존재가

사랑으로써, 크다고, 느낄때가 있죠?

그렇다면, 우리가 불안해서 가 아닌

사랑하는 마음이 더 크다고

느껴서 그렇습니다.

자신이 정말 예쁘다,

귀엽다, 사랑받을 수 있는 자라면,

사랑스러운 표현들을

많이 해주면 좋습니다.

그러면

한 사람이 여러 사람이

보는 시선이

점점 더 좋아질 겁니다.

사람들이 나를 만만하게

보이기 시작할때가 있죠?

점점 더 자신이

좋아지고 있기 때문입니다.

그 만큼 내 마음과 기분을 다루는 능력이

뛰어나기 때문입니다.

내 마음이 달라지기 위해서

노력을 하는 정도 일지도 모릅니다.

누군가 나를 위해서

안좋은 말을 했다면?

가장 좋은 충고법일지도 모릅니다.

싫으면, 대화도 아마 하기 싫었을 겁니다.

내가 좋은 사람이기 때문에

더 달라지라고 한말 일수도 있기 때문입니다.

불안해 하는 생각이 기분을 만듭니다.

우리 더 이상 불안해 하지 말아요.

불안해 해야 할 상황이라도,

이해하고, 존중하고, 받아 드릴 수 있어야 합니다.

마치 좋아하는 내가 가장 좋아하는 것처럼

말이죠.

우리가 조금 감정 조절이 안될때가 많죠?

아직 눈물의 감정이 더 흔들려서

그 사랑의 눈물이 흔들려서 그렇습니다.

많이 흔들려서 울고 싶지도 않은데

눈물이 나올 수 밖에 없어서

사랑의 눈물이 흔들려서

그렇습니다.

그럴땐 우울해도,

울어도 괜찮습니다.

작은 사랑의 나이라서,

울어도 괜찮습니다.

울면 안되는 이유는

없습니다.

괜찮습니다. 울어도 괜찮고,

웃어도 괜찮습니다.

기쁠땐, 기쁜 마음으로

충족해도 괜찮습니다.

자신이 충분하다고 느끼는 순간이기

때문이라서 그렇습니다.

자신이 예민하지 않아서

그런 순간이라서 그렇습니다.

자신이 예민할때가 있죠?
신경이 날카롭게, 들려서
나를 나의 심정을 받아드리기
힘들어서 그렇습니다.

나의 신경이 자극해서,
흔들리기 때문에
그렇습니다.

자신이 예민했던 순간이 있다면?
소중한 일기장처럼 만들어 보는
시간을 갖는 것도 중요합니다.

작은 위로의 선물이 됩니다.

나는 내일보다, 더 나은 내가
되고 싶은 나였으면 좋겠다.

라는 마음은,

마음을 꿈을 상상할 때 느낄지도 모릅니다.

내일의 나를 지금 현재의 순간으로

성장시키기 위해서

그런순간이 떠오르는 경우

일지도 모릅니다.

서로 상대방이 거리가

안맞다고 할지라도,

적당한 거리를 만들기 위한

작은 사람일지도 모릅니다.

적당한 거리가 적당한

사랑일테니까요.

사랑에는 감정을 너무 쉽게
줘버려서, 느껴서 힘들때가 많습니다.

그럴땐, 감정이 감수성이 풍부해서,
너무 많은 감정을 줘버려서,
다 울어버릴까봐, 무섭다,
고통스러워서 너무 쉽게
마음을 주는 경우가 많습니다.

그럴땐, 마음을 다주지 말고,
내 감정을 받아드리고,
천천히 감정을 가라 앉히고
마음을 자연스럽게
말처럼 사랑을 줬으면 좋겠습니다.

울면 사랑이 조금이라도

내 맘 알면,

내 마음을 알아줄까봐?

그렇습니다.

내 진심이라도 알아줄까?

저 사람이 그럴까봐

한 이유도 있을 겁니다.

감정을 애쓰지 말아요.

감정에 휩쓸려 가지도 말고요.

애쓰면 본인만 점점 더

힘들어질 겁니다.

자신이 좋았던 경험이든

안좋았던 경험이든

좋은 사랑의

경험이었을지도

모릅니다.

한 사람이 상처를 줬던

안 줬던,

나를 진심으로 사랑을

가르쳐주고, 사랑을 만들어준

사람이었을지도 모릅니다.

잊혀가는 사랑이라도,

진심으로, 마음을 대하는 사람이

있으면 좋겠습니다.

거짓된 사랑이라도,

우리를 부르신 작은 하나의

사랑을 받아드릴수 있어야 합니다.

헛된 사랑이라도

우린 작은 사랑입니다.

사랑으로부터, 나를 태어나게 하셨고,

사랑으로부터, 나를 이 세상에

만드셨을지도 모릅니다.

이 세상에

태어났음이

우린 기적입니다.

변함 없으신, 작은 사랑의

한 사람, 내, 자신인 것처럼

말이죠.

우린, 너무 나도 부족하지만,

기적 같은 사람입니다.

한 페이지가,

끝날때까지

다가온 사랑일지도

모릅니다.

벗꽃이 지면,

사랑이 다시 피어오르는

사랑처럼 말이죠.

오늘을 위해서

우린 달려가요.

괜찮아요. 우린 달려도

괜찮습니다.

우린 그만큼 더 달려가야

작은 성장이 나를

부릅니다.

내일을 위해서

우린 달려가요.

인간관계의 상처가
우리의 마법의 성장일지도 모릅니다.
자신이 어떤 실수를 해도
괜찮습니다.

그 실수가 좋은 기억으로
좋았던 기억으로
남을지도 모르니까요.

어떤 실수가
어떤 마음이

점점 더 좋은 기억으로
간직할 수 있게

만들지도 모르니까요.

나는 영원한 작은 실패라고

느낄때가 많죠?

그 작은 실패가 때론,

나의 작은 꿈이 되기도 합니다.

어떤한 실수가,

나의 작은 꿈의 시작이 되기도 하기

때문입니다.

우리 실수 해도 괜찮아요.

괜찮으니까,

너무 기죽지 말아요.

너무 힘들어하지도 말고,

너무 아파하지도 말고,

너무 애쓰지도 말아요.

실수는

마치,

좋은일이

오는 기적일지도 모를때니까요.

그러니까, 걱정과 불안도
110,110, 해도 괜찮아요.

자신을 나를 드러내는
사랑을 하면서,

각자의 삶을 우리 누리면서
살아봅시다.

삶의 기적이,
좋은일로, 만들어 갈 것입니다.

답답하고,
많이 아플때가 많죠?

그럴때가 있죠?

우리가 살면서, 많이 아프기 때문에
이 세상에 안 아픈 사람은
없어요.

그러니까, 다들 많이 힘들면서
이겨내려고, 애쓰고 있는 것일지도
모르기 때문에 그렇습니다.

이 세상을
살다보면

내가 그때가 좋았구나,
행복했구나,

정말, 좋았던 그순간이었구나,
하면서 알게 된지도 몰라요.

비가 오는 날만 되면

상처를 받을 때가 많죠?

비가 오고 가는 사랑

맑음이 오고 가는 사랑이

언젠간

내 마음과 기분이

좋아지는 날이라고

생각했으면 좋겠습니다.

고요한 잠든 시간에

쏟아지는 마음이

있을 때가 있기

마련입니다.

너에게, 잠시 멀어져 있어도

내 편에 머물러 주기

위함 일지도 모릅니다.

너에겐, 아름다운 좋은 기억일지도

모르니, 우리 조금만 힘내요.

언제나, 힘내고,

또 달리고, 힘내봐요.

건강이 안좋더라도

좋아하는 일을 하면서

다시 우리 살아봐요.

선명한 하늘이

점점 더 좋은 세상으로

빛날 겁니다.

그러니 작은 마음이

내가 있다는 걸

나의 소중한 일부분 이라는 걸 기억했으면 좋겠습니다.

아픈 것도,

힘든 것도,

우리 소중한 마음이 있다, 라는 걸

잊지말고,

오늘을 위해서, 우리 살아가요.

어리석은 이야기,

어리석은 생각들이

나를 불안하게

만들었던 적이 있었나요?

그럴땐 내 심정과

마음이 가까이에 있지 않기 때문입니다.

감정이 한참 멀리 있어서,

다르다, 다른 사람과,

나는 다르다.

라는 생각이 멀리 있어서

그렇습니다.

우린 같습니다.

가까이에 있고, 같은 생각을

하고 있다. 라는 걸

잊지 않으셨으면 좋겠습니다.

상대방이 나는 "전혀 다르다고

생각될때도 있죠?

그럴땐, 마음이, 전혀 생각하는

방식이 달라서 그렇습니다.

서로 다른 방식 이기 때문에,

마음을 전부 이해하기

어렵습니다.

어려움이, 점점 더, 밀려올때도

한가지의 일을 처리 할수 있어야 합니다.

일을 처리하는 능력이

빨리 처리하는 능력이

바로, 모든 행복과 일이

해결됩니다.

모든 상황들이

일들이 해결됩니다.

뭘 먹을까?

상대방과

이야기를

할때가 있죠?

그럴 때, 뭐 먹지?

하면서, 집에 냉장고를

뒤질때도 있죠?

상대방과, 이야기를 나누면서,

나, 내가 좋아하는 요리 먹고

싶다고 말할때가 있죠?

상대방이 그걸 듣고,

해주면, 또 다른 행복으로

만들어 가기도 합니다.

자연스럽게, 이야기를 해보세요.

그러면, 조금씩 상대방과

화를 억누르지

않으면서

대화를 할수 있는 능력이 생길 겁니다.

대화를 할 때?

신경질이 많이 날때가 많죠?

신경쓰고 있어서

신경쓰는 일들이

너무 많아서, 외부로부터,

환경으로부터,

많아서

그렇습니다.

내적으로, 환경으로부터

남들을 이해하기

어려움이

시달려서

그럴수도 있습니다.

남들을 이해하기 힘들때,

그냥 이야기를 하지말고,

들어주는게 좋습니다.

들어주는 마음이라도

있으면 괜찮다고,

내가 괜찮다고,

느낄수도 있습니다.

남들이, 전화연락을 할때에도

자연스럽게, 오늘, 뭐 먹었어?

잘지냈어? 그동안, 아 그때는

내가 미안했어.

라면서, 자연스러운 말을

언어의 말을

쓰는게 좋습니다.

자연스러운 언어가,

내가 좋은사람이 되어가는 과정일 겁니다.

내가 마치,

언어를 구절구절 하고,

상대방을 진심으로

듣지 않으면, 상대방이 힘들어 하는 것처럼 말이죠

언어를 자연스럽게

적극적으로 다가가는 연습

말을 해보는게 좋습니다.

그 언어가,

용어를 만들어 내듯이

사랑스러운 연애의 언어가

될수도 있을테니까요.

언어가, 점점 더,

좋은 연애로

발전할테니까요.

사랑스러운 언어는 이런게 있습니다.

너, 오늘 귀여운 것 같아.

너, 오늘 행복해 보여서

나도 기분이 좋아.

너를 만나서,
오늘 행복했어.

라는 말을 해보는게 좋습니다.

그 말이
어느새, 자연스럽게
빛날 것입니다.

나무를 생각할 때?
시원한 나무이다.

생각할때가 있죠?

나무가 주는 시원함과,
나무가 주는 편안함이

있어서 그렇습니다.

그 편안함이 인간관계에
필요하지 않을까?

라는 생각이 듭니다.

편안함을 존중해주면서
이해해주면,

내 생각도 참고가 되고,
깊은 생각을
느끼게 됩니다.

신경도, 극복할 수 있게
되는 것처럼 말이죠.

점점 더, 상대방을 이해하기

힘들게 받아드릴때가 많죠?

그럴땐, 내가 이기적인
모습을 많이 보여줘서
그렇습니다.

이기적인 모습보다,
밝고 긍정적인
생활, 자신감을

보여주는 게 좋습니다.

그게, 사람들이 느끼는 작은 공감의
사랑 일 테니까요.

공감적인 사랑의 사람일테니까요.

잘못했다고,
잘못하지 않았다고,

용서 해달라고,

구하는 것도

중요하지만,

작은 나의 진심과

이유를 좋게

표현해 주면 좋습니다.

상대방이 싫어서

그런게 아니라,

관심이 있고, 관심이 많고,

나를 좋아하는 마음이

조금 있어서,

그런 거니까?

우리 부정적인 생각은

하지 말아요.

알겠죠?

"네, 알겠습니다.

라고 대답하고, 받아드릴수 있는 사람이
되길 기원합니다.

집에 있을 때?
짜증나서,
속상해서

나가고 싶을때가 있죠?

잠깐 머리를 식히기
위해서

나가는 힐링 일수도 있습니다.

잠깐 나가서,
감정을 식히고
오는 시간이라는걸

알게 되길 바랍니다.

감정을 식히고 돌아와야
또다른 일상을
복구할 수 있습니다.

마치 내일이
되는 순간을

극복하는 것처럼 말이죠.

바다를 보고,

감정을 식힐때도 있고,

풍경을 보고,

감정을 가볍게,

극복하는 것처럼 말이죠.

아, 나는 괜찮다,

괜찮을 수 있는 하루 였다.

하면서, 아 오늘 많이 힘들었네.

나, 조금만, 울다가

집갈게.

하면서, 감정을 마음 심적으로

식히는 시간 일수도 있습니다.

그 마음이

내가 살아 있는 공간

이라는 걸

잊지 않으셨으면 좋겠습니다.

관심이 없으면

투명인간

취급할때가 많습니다.

본래, 저런 사람이다.

라고 할때가 많습니다.

상대방이 쓴 소리를 할때나,

나에게 안좋은 말을 할때는,

관심이 아주 나에게

많아서 그렇습니다.

그러니 너그럽게
자신을 받아드릴 수
있었으면 좋겠습니다.

한참 걱정하고 있어도,
걱정 안할 정도의 이유 일수도 있습니다.
아 , 왜 " 나 걱정했지?

생각보다, 괜찮은 이야기 였네.

그런 생각이 들때도 있습니다.

맑은 글

하루하루가 맑은 세상인 것처럼
느낄때가 많죠?

그럴땐, 세상이 너무 어렵해서,

엇구름 의 세상이라서 그렇습니다.

받아드리기 힘든 심정과

받아드릴수 없는

세상의 마음이 있을 겁니다.

그 마음이, 해결되기 까지,

많이 우리는 힘들었을 겁니다.

많이 힘들어서, 그렇습니다.

많이 아파서, 그렇습니다.

그대가 나를 본 순간,

그대가 나를 찾은 순간,

우리 어느새 사랑이 시작되는 것처럼 말이죠.

서로가 눈에 보이고,

서로 밖에 안보였던,

순간이 있었나요?

하늘이 닿은 지금, 누구보다,

더 하늘로 가는 순간처럼

맞닿은 마음이라서 그렇습니다.

너에게 가는게 참 멀리 있다고,

엄청 나더라고,

근데 한참 가고 싶었던

내 마음이었어.

너에게 고백하고 싶은

마음 좀 알아줘.

너에게 안기면서, 사랑 받고

싶었는지도 모르니까 말이야.

그런 마음들이, 설레임 이었을 겁니다.

그런 마음도 이해하기 힘든 심정이어도

괜찮습니다. 괜찮아요.

너에게 인사하면서,

눈부신 인사를 하고 싶어,

너에게 인사하면서,

밝은 인사를 하고 싶다고,

생각한 적이 있었나요?

그럴땐, 내가 참 좋은사람이라서

그 사람에게 충분한 사람이라서

그렇습니다.

그러니, 좋은인사와 인사말을
나누어 보았으면 좋겠습니다.

얼마나, 너를 좋아하는지,
얼마나, 너를 생각하는지,

누군가 알아줬으면 좋겠다고,
생각한적 있나요?

연락해주고, 물어봐주면,
그사람이 나에 대한 관심을 보일지도 모릅니다.

사람들이 내가 웃는 걸

못 본다고 생각할때가 많죠?

우린 다 보고 있지만,

내가 노력하는 모습이

안보일 수도 있습니다.

그래서, 그런 것일지도 모릅니다.

너에게 쉽게 가는게 어려워서

너에게 가는길이 쉽지 않은 마음이라서

그렇습니다.

매일매일 함께했던 사랑이

첫사랑일지도 모릅니다.

매일매일 생각나는 사람이

첫사랑일지도 모릅니다.

물든 세상이 많을 때,

첫사랑일지도 모릅니다.

나를 버리지 말고

나를 선택해도 버리지 않았으면

좋겠습니다.

영화같은 순간이 있죠?

MOVICE, COMING

무비 클라이밍,

같은 그런 영화가 있죠?

사랑이 영화일 것이다.

사랑이 영화같은 시간의

하루이다.

그시간이 바로 지금,

영화같은 순간의 시간이다.

라고 느끼는 순간일지도
모릅니다.

내 생각을 너에게
오늘 당장 전하고
싶다라는 생각이 듭니다.

그게 영화같은 순간이지 않을까?
싶습니다.

내 맘이 엇갈리지 않게,
내 맘이 변해간다 해도

세상에서 그럴수도 있다고,
세상에서 제일 그럴수 도 있다고,

방금 뭐였냐고?

말할정도로 우리 하나같은 사랑입니다.

모든 상황의 이유가 만들어질 때,

모든 일들이 이유가 만들어질 때,

이유의 모습, 또다른 나의 자신의

모습이 되기도 합니다.

세상에서 자꾸자꾸 봐도 생각나는 사람이 있죠?

너무 보고싶어서 그렇습니다.

너무 보고싶고 그리워서

그렇습니다.

그리울 정도의 마음이라서

그렇습니다.

우린 그래도 괜찮습니다.

수많은 곳이 비가 그칠 때,

수많은 곳이 비가 그칠 순간에

그대가 찾아 올때가 있습니다.

내가 입술을 머금고,

노래를 부르고 싶으면,

그대가 생각나듯이

그대가 나에게 오는 경우가 있습니다.

그러니 사랑은 그정도로

찾아올 때니까,

걱정하지 말구,

우리 불안해 하지도 말아요.

달콤한 사랑이 있죠?

달콤한 사랑이 아이스크림처럼

빛날때가 있죠?

그럴땐, 스킨쉽보다, 생명을 가까이 생각하고,

스킨쉽의 마음보다, 마음을 소중히 여기는

사람이 되었으면 좋겠습니다.

입술에 닿는 키스 보단,

마음을 소중히 여기는

키스였으면 좋겠습니다.

사랑이라는 말대신

시간보다, 멀어지지 않는

사랑이었으면 좋겠습니다.

밤새도록 고민해봤는데?

나 사실 좋아해,

나 사실 사랑해,

그래서 그런데 알지 못했던 순간까지 함께해주면

안될까?

라는 생각이 들 때 말해보면 좋습니다.

앞으로도, 나랑 함께하자,

앞으로도, 나랑 연애하자,

이런말 연애할 때 해보면

좋습니다.

그땐 우리가 어려서 그랬어,

성숙한 연애 였어.

다가오는 시간이었어,

서로에게 조금만 성숙한 연애였기 때문에

그랬어.

라고 말해보셨으면 좋겠습니다.

사실 얼굴을 봐도,

그대의 사람, 인데

기억하지 못할때가 있죠?

내가 기억하지 못해도,

언젠가는 너는 나를 기억하기 때문입니다.

그만큼 아파도 너의 공기

숨쉬는 공기는 잊을수 없기 때문입니다.

심장소리를

그대의 사람을

잊을수 없을만큼한

사람이라서 그렇습니다.

그땐 시간가는 줄 모르고

사랑했다고?

그땐 다시 사랑한다고

말할수 있었으면 좋겠습니다.

영원이라는 두글자처럼

"널 기다릴게.

언제라도, 난 멈춰서서

" 널 기다릴게.

라는 말을 해보면

상대방이, 내가 성장통이 아팠지만,

극복할수 있는 사람이었구나.

느낄 수도 있기 때문입니다.

우린 깨어 있으면서도

성장통이 얼마나 아픈지 모릅니다.

얼마나 아파야,

좀 더 느낄수 있을지

사람들은 잘 모릅니다.

나의 또다른 삶이 만나는 과정이기 때문입니다.

교차로처럼 만나는 순간의 과정이기 때문입니다.

내가 한걸음 앞에서

걸어갈 때?

그 자리에서 다정하게

내 이름을 불러줬으면

좋겠다. 라는 생각이 들때가 있죠?

그땐 당신을 알지 못해서,

마음이 다친 것처럼

그래서 그럽니다.

앞으로, 연애하는 과정일때도?

다정하게, 그사람의 이름을

불러줬으면 좋겠습니다.

좋아한 게 후회가 될 때가 있죠?

그대를 좋아한 것만으로도

괜찮습니다.

그대를 사랑했던 것만으로도

괜찮습니다.

언젠가 이 사랑을 떠오르면,

진짜 분명 울어버릴지도 모르지만, 우린 괜찮습니다.

눈이 부시고,

눈이 또 부시겠지만,

오늘 하루도 우리 잘 건너 봅시다.

"안녕,

내 불안이 멈춰졌으면 좋겠습니다.

갑자기 들어온

행복은 잊어선 안됩니다.

부모님의 갈등이

때로 또다른 행복이

됩니다.

내가 내마음이 풀리지 않을때는,

내 마음을 좀 들어줘!

라고 말해줬으면 좋겠습니다.

일과 사랑에서, 내 마음과

중심을 잡고 일어나길 바랍니다.

진정한 어른이 되는 성숙한 과정이기 때문입니다.

사람에게 가장 중요한 건 사람입니다.

그냥 봐주면서, 내려놓고
편안한 관계를 유지 하는 것도
좋습니다.

내가 먼저
당신의 마음을
읽고 싶기 때문에,

당신의 마음을 먼저 읽어도 될까요?
읽어봐도 될까요?

라고 말해보세요.
작은 도움이 될지도 모릅니다.

사람은 잊혀가지만,
말은 기억됩니다.

사람은 흘러가지만

말은 남습니다.

그래서, 말은 하는말도

유통기한 일지도

모릅니다.

내가 울어도 될까? 고민하지 말아두세요.

울수 있어서, 다행이었다고,

울수 있는 행복이라서

다행이었다고,

언젠간 말하게 될 겁니다.

감정을 울컥하는 순간을

받아드려야 합니다.

억누르지 마세요.

행복하고 싶다면,

나의 눈물을 받아드릴 수 있는게 사랑입니다.

나 너에게 세상에서

사랑을 말하고 싶다고 생각한적 있죠?

그냥 사랑을 아무거나

말해도 괜찮습니다.

나의 예민한 사랑이라도,

당신을 사랑하기 때문에 그러니

괜찮습니다.

참는게 죽기보다 싫을때는,

사랑하는 사람에게

보고싶었어, 너가 보고싶을 만큼

그리웠다고, 그리구, 아직 널 좋아해,

라고 말해줘도 괜찮습니다.

내 마음과 내마음이

너가 존재하는 사람이기

때문에 그렇습니다.

여러 모든 것에

존재하는 사람이

나일지도 모릅니다.

나를 누군가 배신한다고 생각할때가 있죠?

내 마음과 천천히 가고 싶어서,

내 마음과, 서두르지 않고 싶어서,

그정도만 다가가고 싶어서 그렇습니다.

그정도의 힘만 다가가고 싶어서 그렇습니다.

오늘이 아니면 안될꺼 같아서,

그래서 그럴수도 있습니다.

연습했던 만큼 안될때가 있죠?

사람한테서 받아가는 인간관계가

적응이 안되서 그렇습니다.

죄책감에 시달려도

연습했던 만큼 하다보면

잘될 겁니다.

지우고 싶어도,

내 마음 속에서

그대를 향한 사랑이

있는 것처럼 말이죠.

출근길에 버스에서
일어나기 힘들때가 많죠?

그것도 감사해야 할 일입니다.

누군가에게 관심받으려고 애쓰지 말아요.
예쁠만큼, 너는 그자체로 예쁘니까요.

내 스스로 깎아내리지 않아도 됩니다.
깎아내릴 이유가 없습니다.

사랑은 구걸 하고 싶은게 사랑이 아니라, 사랑을 받고 싶
은 겁니다.

서로 사랑이 다르게 시작되는 순간이 있었나요?

발　행 | 2024년 09월 09일
저　자 | 맑은 글
펴낸이 | 한건희
펴낸곳 | 주식회사 부크크
출판사등록 | 2014.07.15.(제2014-16호)
주　소 | 서울특별시 금천구 가산디지털1로 119 SK트윈타워 A동 305호
전　화 | 1670-8316
이메일 | info@bookk.co.kr

ISBN | 979-11-419-0400-5
www.bookk.co.kr